luxembourg

le grand-duché
das großherzogtum
the grand duchy

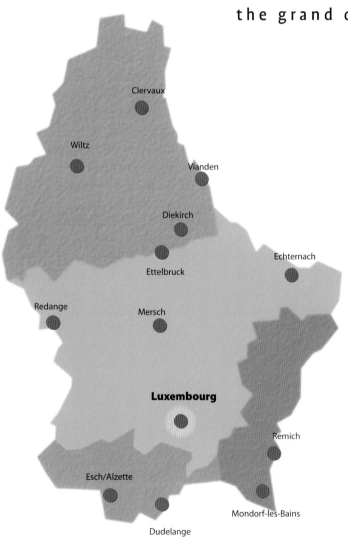

Clervaux

Wiltz

Vianden

Diekirch

Echternach

Ettelbruck

Redange

Mersch

Luxembourg

Remich

Esch/Alzette

Mondorf-les-Bains

Dudelange

luxembourg

le grand-duché | das großherzogtum | the grand duchy

ISBN 978-2-87954-169-3

Textes:	Rob Kieffer, Manu Aruldoss (traduction française), Claire Weyland (traduction anglaise)
Layout et carte:	Marc Angel
Photos:	Editions Guy Binsfeld, Christof Weber, Tom Wagner, Guy Hoffmann, Annick Kieffer, Jill Mersch, Luxembourg City Tourist Office, Monique Hermes, Musée A Possen, Musée de la Mine de Cuivre Stolzembourg, Musée National des Mines Rumelange, naturmusée, Domaine Thermal Mondorf, Parc Industriel er Ferroviaire Fond-de-Gras
Photogravure:	Scanlor
Impression:	Mohn Media, Gütersloh

Distribution pour le Grand-Duché de Luxembourg: Messagerie du Livre, Luxembourg, www.mdl.lu

© 2007

Editions Guy Binsfeld · B.P. 2773 · L-1027 Luxembourg · www.editionsguybinsfeld.lu

sommaire | inhalt | contents

lëtzebuerg-stad

patrimoine mondial de l'unesco et métropole financière

unesco-welterbe und finanzmetropole

unesco world heritage site and financial metropolis

Ce ne sont pas les Luxembourgeois eux-mêmes qui ont fait de leur capitale actuelle une imposante et redoutée forteresse, appelée autrefois la "Gibraltar du Nord". Ce petit peuple plutôt paisible n'a jamais déclenché une guerre et, à cause de ses mauvaises expériences de l'occupation – la dernière datant de la Seconde Guerre mondiale –, il affiche une très grande méfiance à l'égard des conflits militaires. Néanmoins les "Lëtzebuerger" sont fiers de voir les vestiges de leur forteresse de même qu'une partie de la vieille ville figurer sur la liste sélecte du patrimoine mondial de l'Unesco. Les redoutables remparts, les portes fortifiées avec leurs créneaux et surtout le labyrinthique réseau souter-

Es waren nicht die Luxemburger selbst, die ihre heutige Hauptstadt zu einer imposanten, einst als "Gibraltar des Nordens" gefürchteten Festung ausbauten. Das eher friedfertige Völkchen hat noch nie einen Krieg angefacht und aus leidlichen Okkupations-Erfahrungen – zuletzt während des Zweiten Weltkrieges – steht es alles Kriegerischem äußerst misstrauisch gegenüber. Dennoch sind die "Lëtzebuerger" stolz darauf, dass die Überreste der Festung sowie Teile der Altstadt 1994 in die erlauchte Liste des UNESCO-Welterbes aufgenommen wurden.

Die trutzigen Bollwerke, die zinnenbewehrten Verteidigungstore und vor allem das 20 Kilometer lange labyrinthartige unterirdische Netz der Kasematten stammen aus den Zeiten der Fremdherrschaften. Wegen seiner günstigen strategischen Lage

It was not the Luxembourgers themselves who developed what today they call their capital into an imposing fortress, once feared as the "Gibraltar of the North". The more peace-inclined little population has never instigated a war and on account of enduring several chapters of occupation – most recently during the Second World War – it views anything to do with war with utmost mistrust. Nevertheless, the "Lëtzebuerger" are proud that their fortress remains as well as parts of the old town were added to the illustrious list of UNESCO world heritage sites in 1994.

The formidable bulwarks, the battlement defence gates and, most strikingly, the casemates, which form a labyrinth-like network over 20 km, all originate from the days of foreign

1 000 ans d'histoire de la forteresse: le labyrinthe souterrain des casemates; une échauguette espagnole; la promenade de la Corniche et la vieille ville

1000 Jahre Festungsgeschichte: unterirdisches Kasematten-Labyrinth; spanisches Türmchen; Corniche-Promenade und Altstadt

A thousand years of fortress history: Subterranean labyrinth of casemates; Spanish tower; Corniche promenade and the old town

rain des casemates, long de vingt kilomètres, datent des périodes d'occupation étrangère. En raison de sa situation stratégique, la ville construite sur le rocher de grès et fondée en 963 par le comte ardennais Sigefroi a subi successivement les dominations des Bourguignons, des Espagnols, des Français, des Autrichiens et des Prussiens. Des architectes militaires inventifs, parmi lesquels on retrouve Sébastien Le Prestre de Vauban, bâtisseur de forteresses sous Louis XIV, ont doté cette ville petite, et néanmoins puissante, d'un corset d'épais bastions et de chemins de ronde.

Si Luxembourg devait autrefois sa célébrité à son imprenable forteresse, elle se distingue aujourd'hui par son rang de métropole financière et commerciale, internationale et cosmopolite. Tandis qu'en 1960, elles

geriet die Stadt auf den Sandsteinfelsen, gegründet im Jahre 963 vom Ardennergrafen Siegfried, unter die Dominanz von Burgundern, Spaniern, Franzosen, Österreichern und Preußen. Erfindungsreiche Militärarchitekten, unter ihnen Sébastien Le Prestre de Vauban, Festungsbaumeister unter Ludwig XIV., zwangen die kleine, aber mächtige Stadt in ein Korsett von meterdicken Bastionen und Wehrgängen.

Hatte Luxemburg in früheren Tagen wegen seiner uneinnehmbaren Festung Berühmtheit erlangt, so erregt heutzutage eher ihre Rolle als internationale und kosmopolitische Finanz- und Geschäftsmetropole zunehmende Aufmerksamkeit. Zählte man im Jahre 1960 lediglich 17 Banken, die ihre Schalter in der luxemburgischen Kapitale geöffnet hatten, so sind es deren heute über

rules. Due to its advantageous strategic position, the city on the sandstone rock, founded in 963 by Siegfried, Count of the Ardennes, fell under the dominance of Burgundian, Spanish, French, Austrian and Prussian rule. Imaginative military architects, among them Sébastien Le Prestre de Vauban, fortress builder under Louis XIV, forced the small yet powerful city into a corset of metre-thick bastions and parapets. While in earlier days Luxembourg was famous for its impregnable fortress, today it is more its role as an international and cosmopolitan finance and business metropolis that is attracting increasing attention. In 1960, the Luxembourg capital was home to a mere 17 banks, ••••

....n'étaient que 17 banques à avoir ouvert leurs guichets dans la capitale luxembourgeoise, il y en a à présent plus de 160. Avec leur architecture audacieuse, marquée par l'importante utilisation de l'acier et du verre, les établissements financiers ainsi que les institutions de l'Union européenne établies à Luxembourg contrastent avec les vénérables maisons patriciennes des ruelles de la vieille ville, où se trouve également le palais, la résidence citadine de la famille grand-ducale, avec son élégante façade de style Renaissance.

Des architectes de renommée mondiale ont contribué à rendre la silhouette de la ville moderne tout

160. Die gewagte, von viel Stahl und Glas geprägte Architektur der Finanzhäuser sowie der ebenfalls in Luxemburg beheimateten Institutionen der Europäischen Union kontrastiert mit den ehrwürdigen Patrizierhäusern in der verwinkelten Altstadt, wo auch das Palais, der Stadtsitz der großherzoglichen Familie, mit seiner Renaissance-Fassade kokettiert.

Architekten von Weltrang haben dazu beigetragen, dass das moderne Stadtbild genauso beeindruckend ist wie das tausendjährige Festungs-Erbe. Der sino-amerikanische Architekt I. M. Pei, Erschaffer der Louvre-Pyramide in Paris, hat das lichtdurchflutete MUDAM (Museum für Mo-

while today there are over 160. The daring architecture – characterised by lots of steel and glass – of the finance companies as well as the European Union institutions established in Luxembourg provides a striking contrast to the noble patrician houses lining the narrow and winding streets of the old town, where the Palace, the grand-ducal family's city residence, also shows off its Renaissance façade.

World-renowned architects have contributed to the modern cityscape being just as impressive as the thousand-year-old fortress heritage. Chinese-American architect I. M. Pei, creator of the Louvre pyramid in Paris, designed the light-flooded MUDAM (Grand-Duke Jean Museum for Modern Art), a top-class cultural meeting point. The Philharmonie,

aussi impressionnante que l'héritage millénaire de la forteresse. L'architecte sino-américain Ieoh Ming Pei, créateur de la pyramide du Louvre à Paris, a fait du MUDAM (Musée d'art moderne Grand-Duc Jean) avec sa structure lumineuse un lieu de rencontre culturel de haut niveau. Conçue par Christian de Portzamparc, la Philharmonie se caractérise par ses 823 colonnes filigranes, qui soutiennent cette élégante salle de concert. Non loin de là, les tours jumelles, aménagées place de l'Europe par l'architecte vedette Ricardo Bofill, démontrent que même des immeubles de bureaux fonctionnels peuvent développer une personnalité architecturale.

Les étonnants contrastes que présente la ville de Luxembourg sont illustrés par ses nombreux espaces verts: au parc municipal, dans la

derne Kunst Grand-Duc Jean) zu einem hochkarätigen kulturellen Treffpunkt gestaltet. Kennzeichen der von Christian de Portzamparc entworfenen Philarmonie sind 823 filigrane Säulen, die das elegant geschwungene Musikhaus stützen. Dass sogar funktionelle Bürotürme eine architektonische Persönlichkeit entfalten können, hat Stararchitekt Ricardo Bofill mit den Zwillingstürmen am Place de l'Europe bewiesen. Dass Luxemburg eine Stadt der überraschenden Kontraste ist, beweist der Umstand, dass es überall grünt und blüht: im Stadtpark, im

designed by Christian de Portzamparc, stands out with its 823 filigree columns, which encompass the elegantly curved concert hall. Even functional office towers can develop an architectural personality, as proven by star architect Ricardo Bofill with the twin towers that rise above the Place de l'Europe.

That Luxembourg is a city of surprising contrasts is seen in the fact that there is lots of blooming and blos-

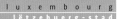

vallée de la Pétrusse, le long de l'Alzette ou encore dans les vastes forêts de la périphérie. Après tout, cette "passion du vert" a une longue tradition. Ainsi, Luxembourg comptait autrefois des éleveurs de roses dont les produits étaient exportés dans le monde entier, jusqu'à la cour de l'empereur de Chine.

Petruss-Tal, entlang der Alzette oder in den großen Wäldern der Peripherie. Immerhin hat diese "grüne Leidenschaft" Tradition. So wurden einst Rosen, die in Luxemburg gezüchtet wurden, in die ganze Welt und sogar bis zum chinesischen Hof exportiert.

soming going on everywhere: in the city's park, the valley of the Pétrusse, along the Alzette, the large forests on the periphery... This "green passion" has a tradition. Roses grown in Luxembourg used to be exported throughout the world and even found their way to the Chinese court.

Pèlerinage et plaisirs culinaires: à l'occasion de l'Octave, on fait ses prières à la cathédrale et on vient se régaler au "Mäertchen"

Pilgern und Genießen: Anlässlich der Muttergottes-Oktave wird in der Kathedrale gebetet und auf dem "Mäertchen" deftig gespeist

Pilgrimage and feast: The yearly "Octave" gives rise to prayers in the Cathedral and hearty food at the "Mäertchen"

Sur les traces des barons du drap: *les vestiges des anciennes usines au beau milieu de la verdure de la vallée de l'Alzette*

Auf den Spuren der Tuchbarone: *verwitterte Fabrikanlagen im grünen Alzette-Tal*

In the footsteps of the textile barons: *Abandoned factories in the lush valley of the Alzette*

Emplettes en musique: *un artiste de rue dans la zone piétonne de la ville haute*

Swing und Shopping: *Straßenmusik in der Fußgängerzone der Oberstadt*

Shop and swing: *Street music livens up the pedestrian zone of the upper city*

Sous le signe des armoiries de l'Etat: *le palais grand-ducal dans la vieille ville; le quartier gouvernemental avec vue sur la place Clairefontaine*

Im Zeichen des Staatswappens: *großherzoglicher Palast in der Altstadt; Regierungsviertel mit Blick auf den Place Clairefontaine*

Under the sign of the coat of arms: *Grand-ducal Palace in the old part of the city; government quarter with view onto Place Clairefontaine*

Une rareté: le Musée d'histoire et d'art au Marché-aux-
Poissons présente entre autres la spectaculaire
mosaïque romaine de Vichten

Seltenheit: Das Nationalmuseum für Geschichte und
Kunst am Fischmarkt zeigt unter anderem den
spektakulären römischen Mosaikfußboden von Vichten

Rarity: The National Museum of History and Art on the
Fish Market houses the spectacular Roman mosaic
floor of Vichten

Voyage dans le temps: *au Musée d'histoire de la Ville de Luxembourg, on peut parcourir un millénaire en quelques heures*

Zeitreise: *Im Historischen Museum der Stadt Luxemburg kann man durch 1.000 Jahre Stadtgeschichte reisen*

Time travel: *The Luxembourg City History Museum sets the scene for a voyage through a thousand years of city history*

Rencontres artistiques: le centre culturel Abbaye Neumünster; le Casino Luxembourg – Forum d'art contemporain

Begegnung mit Kunst: Kulturzentrum Abtei Neumünster; "Casino Luxembourg – Forum für zeitgenössische Kunst"

Encounter with art: Abbey Neumünster cultural centre; "Casino Luxembourg – Forum of Contemporary Art"

Des lieux d'exposition insolites: *le Musée national d'histoire naturelle à l'hospice St-Jean; la galerie souterraine "Am Tunnel"*

Ausgefallene Ausstellungsräume: *Nationalmuseum für Naturgeschichte im Sankt-Johann-Hospiz; unterirdische "Galerie am Tunnel"*

Unusual exhibition rooms: *Former St John's Hospice, home to the National Museum of Natural History; subterranean "Galerie am Tunnel"*

Des contrastes architecturaux: le pont Adolphe et la Banque et Caisse d'épargne de l'Etat; le siège du groupe sidérurgique Arcelor-Mittal; une sculpture de Richard Serra; le quartier bancaire du boulevard Royal; la place de l'Europe au Kirchberg

Architektonische Kontraste: Adolphe-Brücke und Staatssparkasse; Sitz des Stahlkonzerns Arcelor-Mittal; Skulptur von Richard Serra; Bankenviertel Boulevard Royal; Europa-Platz auf dem Kirchberg

Architectural contrasts: Adolphe bridge and State Savings Bank; seat of steel group Arcelor-Mittal; sculpture by Richard Serra; Boulevard Royal banking quarter; Place de l'Europe on Kirchberg

Le plateau de Kirchberg: la Cour européenne de justice; la Philharmonie; le MUDAM (Musée d'art moderne Grand-Duc Jean)

Kirchberg-Plateau: Europäischer Gerichtshof; Philharmonie; MUDAM (Museum für Moderne Kunst Grand-Duc Jean)

Kirchberg-Plateau: European Court of Justice; Philharmonie; MUDAM (Grand Duke Jean Museum for Modern Art)

Ville de fêtes: *le festival "Rock um Knuedler" sur la place de l'hôtel de ville; la fête foraine "Schueberfouer"; le feu d'artifice la veille de la fête nationale*

Stadt der Feste: *"Rock um Knuedler" auf dem Rathausplatz; Jahrmarkt "Schueberfouer"; Feuerwerk am Vorabend des Nationalfeiertages*

City of celebrations: *"Rock um Knuedler" on Place Guillaume II; yearly "Schueberfouer"; fireworks display on the eve of National Day*

guttland

châteaux forts, vallées fluviales et labyrinthes rocheux

burgen, flusstäler, felslabyrinthe

castles, river valleys, rock labyrinths

Avant l'industrialisation du Grand- Duché, les sols fertiles du "Guttland" étaient les principales sources de revenus d'un pays jusque-là essentiellement agricole. Cette région ondulée s'étend des vallées fluviales à l'ouest aux abrupts labyrinthes rocheux à l'est.

Selon la légende, le diable aurait porté sur son dos un sac rempli de châteaux volés. Il aurait alors laissé tomber son butin, qui aurait déambulé dans le paysage luxembourgeois. Quelques exemplaires particulièrement somptueux de ces châteaux fortifiés et de ces manoirs se trouvent dans la vallée des Sept

Vor der Industrialisierung des Großherzogtums waren die fruchtbaren Äcker des "Guttland" die Haupteinnahmequellen des bis dahin bäuerlichen Großherzogtums. Die sanft gewellte Region erstreckt sich von den Flusstälern im Westen bis hin zu den schroffen Felslabyrinthen im Osten.

Der Sage nach soll dem Teufel, der auf seinem Rücken einen Sack mit geraubten Schlössern transportierte, die Beute abhanden und in die luxemburgische Landschaft gepurzelt sein. Einige besonders schöne Exemplare dieser wehrhaften Burgen und Herrenhäuser findet man im

Before industrialisation hit the Grand Duchy, the fertile fields of the "Guttland" were the main income sources of the hitherto agricultural Grand Duchy. This softly undulating region extends from the river valleys in the west over to the precipitous rock labyrinths in the east.

Legend has it that the devil, while carrying a sack with stolen castles on his back, managed to lose his loot, which tumbled all over the Luxembourg landscape. A few particularly beautiful specimens of these fortified castles and manor houses can be found in the "Valley of the Seven Castles". Hidden between crystal clear river courses and shady forests, the châteaux and castles of Koerich, Septfontaines, Old and New Ansembourg, Hollenfels, Schönfels and Mersch have stood their ground for centuries.

Châteaux. Cachés entre des cours d'eau claire et des forêts ombragées, les châteaux et les forts de Koerich, de Septfontaines, d'Ansembourg, de Hollenfels, de Schoenfels et de Mersch ont survécu au poids des siècles.

Dans les vallées de l'Attert, de l'Eisch et de la Mamer, les paisibles villages avec leur quiétude d'un autre âge et leurs maisons classées au patrimoine échappent à la vague d'urbanisation en provenance de la capitale. En se promenant dans le parc du château de Colpach, où le couple d'industriels Mayrisch a accueilli des écrivains et des philosophes de

"Tal der Sieben Schlösser". Verborgen zwischen glasklaren Flussläufen und schattigen Wäldern haben dort die Schlösser und Burgen von Koerich, Simmern (Septfontaines), Alt- und Neu-Ansemburg, Hollenfels, Schönfels und Mersch die Jahrhunderte überdauert.

Von zeitloser Behäbigkeit sind die stillen Dörfer mit denkmalgeschützten Häusern, die sich in den Tälern von Attert, Eisch und Mamer der von der Hauptstadt ausgehenden Urbanisierungswelle entziehen. In die 1920er Jahre zurückversetzt fühlt man sich beim Flanieren im Schlosspark von Colpach, wo das Industriellenehepaar Mayrisch berühmte Literaten und Denker aus ganz Europa empfing. Von der einst wichtigen Schieferplattenproduktion im Westen des Landes zeugen die stillgelegten Schiefergruben in Martelingen.

A timeless sedateness characterises the quiet villages with their heritage-protected houses in the valleys of the Attert, Eisch and Mamer, away from the urbanisation wave emanating from the capital. A stroll through the castle park of Colpach transports the visitor back to the 1920s, when the industrialist Mayrisch couple opened its doors to famous writers and philosophers from all over Europe. The disused slate mines in Martelange bear witness to the once significant slate production in the west of the country.

••••

toute l'Europe, on se croirait revenu
dans les années 1920. Les mines
d'ardoise désaffectées de Martelange
témoignent de la production ardoi-
sière autrefois importante dans
l'ouest du pays.

Plus à l'est, ce sont à nouveau les
châteaux forts qui sont la principale
attraction. A Bourglinster, à Larochette et à Beaufort, la mémoire du
temps des chevaliers est entretenue.
Les labyrinthes rocheux crevassés
ainsi que les profonds systèmes de
grottes caractérisent le paysage et la
géologie du Mullerthal, la "Petite
Suisse luxembourgeoise", particulièrement apprécié des randonneurs.

Au bord du Mullerthal et à proximité
immédiate de la frontière germano-
luxembourgeoise, la cité abbatiale
d'Echternach peut se targuer d'une
tradition unique au monde. Chaque
année, le mardi après la Pentecôte,

Weiter östlich sind es erneut Burgen,
welche die Hauptanziehungspunkte
bilden. In Burglinster, Fels und Befort
wird an vergangene Ritterzeiten
erinnert. Zerklüftete Felslabyrinthe
sowie tiefe Höhlensysteme sind die
landschaftlichen und geologischen
Merkmale des Müllerthals, das als
"Kleine Luxemburger Schweiz" besonders bei Wanderern beliebt ist.

Am Rande des Müllerthals und an
der luxemburgisch-deutschen Grenze kann sich das Abteistädtchen
Echternach einer weltweit einmali-
gen Tradition rühmen. Jeweils am

Further east, once again castles are
the main attraction. In Bourglinster,
Larochette and Beaufort, bygone
days of chivalry are evoked. Craggy
rock labyrinths and deep caves form
the topographic and geological cha-
racteristics of the Müllerthal, a
favourite walking destination known
as "Little Switzerland".

On the outskirts of the Müllerthal
and on the Luxembourg-German

elle accueille les milliers de participants à la fameuse procession dansante. Ils sautillent vers la tombe de
saint Willibrord, fondateur de l'abbaye d'Echternach au début du 8e
siècle. Dans cet important monas-
tère, des moines talentueux réali-
saient des évangéliaires ornés tantôt
de lettres dorées, tantôt de sculptures sur ivoire.

Pfingstdienstag nehmen Tausende
von Leuten an der berühmten Springprozession teil. Sie hüpfen zum Grab
des Heiligen Willibrord, der Anfang
des 8. Jahrhunderts die Echternacher
Abtei gegründet hatte. In diesem
bedeutenden Kloster stellten kunst-
fertige Mönche farbenprächtige,
teils mit Goldbuchstaben und
Elfenbeinschnitzereien geschmückte
Evangelienbücher her.

border, the abbey town of Echternach
can lay claim to a world-wide unique
tradition. Each Whit Tuesday, thou-
sands of people take part in its
famous skipping procession, which
leads participants to the grave of
Saint Willibrord, who founded the
Echternach Abbey during the 7th
century. This significant monastery
was home to skilful monks who
produced gospel books with splen-
did colours, including golden ink
and ivory carvings.

*Au sein des vallées fluviales: Hollenfels; Schoenfels;
la vallée de l'Attert; Septfontaines*

*In den Flusstälern: Hollenfels; Schoenfels;
Attert-Tal; Simmern*

*River valleys: Hollenfels; Schoenfels;
Valley of the Attert; Septfontaines*

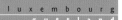

Une longue tradition: le château d'Useldange; les anciennes mines d'ardoise de Martelange; le château fort de Larochette

Tradition: *Schloss Useldingen; alte Schiefergruben in Martelingen; Burg in Fels (Larochette)*

Tradition: *Useldange castle; old slate mines in Martelange; Larochette castle*

Des coupoles et des créneaux: *ruine du château à Pettingen; le château grand-ducal de Colmar-Berg; la tour St-Michel et le château de Mersch; le château de Bourglinster*

Kuppeln und Zinnen: *Burgruine in Pettingen; großherzogliches Schloss in Colmar-Berg; St. Michels-Turm und Schloss in Mersch; Schloss Burglinster*

Turrets and battlements: *castle ruins in Pettingen; grand-ducal castle in Colmar-Berg; St Michael's tower and castle in Mersch; Bourglinster castle*

La Petite Suisse luxembourgeoise: les rochers du Mullerthal; les cascades du "Schiessentümpel"; le château de Beaufort

Kleine Luxemburger Schweiz: Felsen im Müllerthal; "Schiessentümpel"; Burg Befort

Luxembourg's Little Switzerland: Müllerthal rocks; "Schiessentümpel"; Beaufort castle

La ville abbatiale d'Echternach: la basilique; la place du marché et le "Dënzelt", ancien siège du tribunal et du conseil municipal; la procession dansante; la villa romaine "Schwaarzuecht"

Abteistadt Echternach: Basilika; Markplatz mit "Dënzelt"; Springprozession; Römervilla "Schwarzuecht"

Abbey town of Echternach: Basilica; market square and "Dënzelt"; skipping procession; "Schwarzuecht" Roman villa

A l'écart des sentiers battus: la mairie de Manternach; l'Ernz blanche; le château Tudor à Rosport

Abseits ausgetretener Pfade: Gemeindehaus in Manternach; Weiße Ernz; Tudor-Schloss in Rosport

Off the beaten track: Manternach town hall; White Ernz; Tudor castle in Rosport

éislek

la patrie des parcs naturels du luxembourg

wo luxemburgs naturparks zuhause sind

the home of luxembourg's nature parks

La nature à l'état pur: le sentier éducatif d'Arsdorf; Kautenbach; Lellingen

Natur pur: Naturlehrpfad in Arsdorf; Kautenbach; Lellingen

Pure nature: Nature trail in Arsdorf; Kautenbach; Lellingen

L'écrivain luxembourgeois Lex Jacoby a qualifié l'Éislek, comme on appelle les Ardennes luxembourgeoises, de "paysage qui n'accepte guère les compromis et qui, même dans ses épais brouillards, insiste sur des contours sévères, où la terre et le ciel se pénètrent à tel point que les nuages ont parfois l'air de forêts et les forêts de nuages."

Le charme rustique de cette région peu peuplée, marquée par ses hauteurs, ses forêts profondes et ses haies de genêt, explique pourquoi elle accueille les deux parcs naturels du Luxembourg. Le parc naturel de la Haute Sûre s'étend aux bords et aux alentours du lac artificiel de la

Der luxemburgische Schriftsteller Lex Jacoby hat dem "Éislek", wie die luxemburgischen Ardennen genannt werden, folgenden Charakter bescheinigt: "Eine Landschaft, die kaum Kompromisse zulässt, die selbst in ihren Nebelstücken auf strengen Konturen besteht, und in der noch Erde und Himmel so ineinander greifen, dass manchmal die Wolken wie Wälder sind und manchmal die Wälder wie Wolken."

Der borstige Charme dieser von tiefen Wäldern, gelben Ginsterbüschen und hohen Koppen geprägten, wenig bevölkerten Gegend erklärt, weshalb Luxemburgs beide Naturparks hier zuhause sind. Der Naturpark Öwer-

Luxembourg author Lex Jacoby attributed the following character to the "Éislek", the name given to the Luxembourg Ardennes: "A landscape that allows hardly any compromise, where even the mist insists on strict contours and where earth and sky still engage with one another in such a way that sometimes the clouds are like the forests and the forests are like the clouds."

The bristly charm of this sparsely populated region, characterised by deep forests, yellow gorse and elevated paddocks, explains why both Luxembourg's nature parks call this region their home. The Öwersauer natural reserve extends to and around the artificial lake of the Upper Sûre, both a water sport paradise and an important drinking water reservoir and energy supplier. The country's second nature park is

Haute Sûre, qui est non seulement un paradis pour les amateurs de sports nautiques, mais qui joue aussi un rôle important en tant que réservoir d'eau potable et de source d'énergie. Le deuxième parc naturel doit son nom à l'Our, une rivière naturelle, préservée de la canalisation, qui s'étend sur 51 kilomètres, traçant la frontière entre le Luxembourg et l'Allemagne.

C'est aussi au bord de l'Our que se trouve la petite ville de Vianden, l'une des principales attractions touristiques du Grand-Duché. Son imposant château fort, qui est mentionné pour la première fois en 1090, est l'une des plus grandes fortifications médiévales des environs. Vianden doit aussi sa notoriété au séjour de Victor Hugo. L'écrivain, qui y a résidé pendant son exil en 1871, était fasciné par Vianden et il a con-

sauer erstreckt sich am und rund um den künstlichen Obersauer-Stausee, einem Wassersport-Dorado und zugleich wichtiger Trinkwasserreservoir und Energielieferant. Der zweite Naturpark ist nach der Our benannt, jenem ursprünglichen, von Kanalisation verschonten Fluss, der auf 51 Kilometer die Grenze zwischen Luxemburg und Deutschland bildet An der Our liegt das Städtchen Vianden, einer der touristischen Highlights des Großherzogtums. Die imposante Hofburg, die erstmals 1090 erwähnt wird, ist eine der größten mittelalterlichen Verteidigungsanlagen weit und breit. Berühmtheit hat Vianden auch durch den

named after the Our, the natural river spared from canalisation, which forms part of the border between Luxembourg and Germany over 51 kilometres.

On the Our lies the little town of Vianden, one of the Grand Duchy's tourist highlights. Its imposing castle, first mentioned in 1090, is one of the largest medieval defence structures far and wide. Vianden also gained fame by welcoming Victor Hugo into its midst. The author lived in the town during his exile in 1871 and was very taken by Vianden, capturing its castle in drawings.

The legacy of an artist of a different genre can be found in Clervaux, ••••

....

Souvenirs du temps des moulins:
le moulin d'Asselborn; la petite ville
d'Esch-sur-Sûre; un paysage de genêt

Wo einst die Mühlräder drehten:
Mühle in Asselborn; Burgstädtchen
Esch-Sauer; Ginsterlandschaft

Where mill wheels once turned: Mill
in Asselborn; castle townlet of Esch-
sur-Sûre; gorse landscape

where the castle houses the exhibition "The Family of Man" by world-renowned photographer Edward Steichen (1879 – 1973), who was born in Luxembourg. The castle of Wiltz, home of the gorse festival, is also used for cultural purposes. Each summer, its covered forecourt plays host to internationally renowned music and theatre festivals. The Battle of the Bulge of December 1944, during which many Luxembourg villages were destroyed, is relived in the Military Museum in Diekirch,

sacré quelques croquis à son château fort.

La ville de Clervaux conserve, elle, l'héritage d'un artiste d'une autre discipline: l'exposition "The Family of Man" du photographe Edward Steichen (1879 – 1973), mondialement célèbre et né au Luxembourg, y est présentée en permanence au sein du château. Un autre château, celui de Wiltz, cité de la fête du genêt, est au

Aufenthalt Victor Hugos erlangt. Der Schriftsteller, der hier 1871 während seines Exils wohnte, war begeistert von Vianden, dessen Burg er in Zeichnungen festhielt.

Das Vermächtnis eines Künstlers anderer Gattung findet man in Clerf (Clervaux). Im dortigen Schloss ist die vom weltbekannten, in Luxemburg geborenen Fotografen Edward Steichen (1879 – 1973) zusammenge-

service de la culture. Chaque été, son parvis couvert accueille un festival de musique et de théâtre de renommée internationale. De son côté, le Musée national d'histoire militaire de Diekirch entretient le souvenir de la Bataille des Ardennes en décembre 1944, au cours de laquelle de nombreux villages luxembourgeois furent détruits.

Les amateurs d'épouvante trouveront leur compte à Esch-sur-Sûre, où un sentier invite à une promenade nocturne sur les traces des fantômes et des légendes. Trônant sur des hauteurs autrefois imprenables, les ruines des châteaux forts de Bourscheid et de Brandenbourg donnent l'impression que, derrière chaque clairière de forêt, se cache un bastion médiéval.

stellte Ausstellung "The Family of Man" zu besichtigen. Auch das Schloss von Wiltz., Heimat des Ginsterfestes, dient kulturellen Zwecken. Auf dem überdachten Vorplatz finden jeweils im Sommer international renommierte Musik- und Theaterfestspiele statt. An die Ardennen-Offensive im Dezember 1944, während der viele luxemburgische Dörfer zerstört wurden, erinnert das Militärmuseum in Diekirch, Ein wenig gruseln kann man sich in Esch-an-der-Sauer, das zu einem nächtlichen Rundgang auf den Spuren von Gespenstern und Sagen einlädt. Und als ob wirklich hinter jeder Waldlichtung eine mittelalterliche Ritterbastion auftauchen würde, thronen auf einst uneinnehmbaren Hügeln die Ruinen der Burgen von Burscheid und Brandenburg.

For those in search of a spooky frisson, Esch-sur-Sûre organises a nocturnal walk that follows in the footsteps of ghosts and legends. And, almost as though each forest clearing were indeed to reveal a medieval bastion, the ruins of the castles of Bourscheid and Brandenbourg throne atop once impregnable hills.

Le parc naturel de la Haute Sûre: le paradis des amateurs de sports nautiques; la "Robbesscheier" à Munshausen; les fresques de l'église de Rindschleiden; le sentier des sculptures à Bilsdorf; la localité de Lultzhausen, au bord du lac de la Haute Sûre

Naturpark Obersauer: Wassersport-Paradies; "Robbesscheier" in Munshausen; Fresken in der Kirche von Rindschleiden; Skulpturenweg in Bilsdorf; am Stausee gelegene Ortschaft Lultzhausen

Upper Sûre natural reserve: Water sport paradise; "Robbesscheier" in Munshausen; frescoes adorning the church of Rindschleiden; sculpture path in Bilsdorf; Lultzhausen on the lake reservoir

Des lieux d'excursion appréciés: *le château et la fête du genêt à Wiltz; l'exposition "Family of Man" et l'abbaye bénédictine à Clervaux; le château fort de Bourscheid*

Beliebte Ausflugsziele: *Schloss und Ginsterfest in Wiltz; Ausstellung "Family of Man" und Benediktinerabtei in Clerf; Burg Burscheid*

Popular destinations: *Castle and gorse festival of Wiltz; "Family of Man" exhibition and Benedictine abbey in Clervaux; Bourscheid castle*

Le parc naturel de l'Our: *le château et le musée Victor Hugo à Vianden; Stolzembourg et son Musée de l'ancienne mine de cuivre*

Naturpark Our: *Schloss und Victor-Hugo-Museum in Vianden; Stolzemburg und sein Kupferminen-Museum*

Our national park: *Castle and Victor Hugo museum in Vianden; Stolzembourg and its copper mine museum*

Le berceau du tourisme: Diekirch, l'église St-Laurent et la fête du vieux Diekirch

Wiege des Tourismus: Diekirch, Sankt-Laurentius-Kirche und Altstadtfest

Cradle of tourism: Diekirch, St Lawrence church and old town festival

La porte des Ardennes: le château d'Erpeldange; Ettelbruck

Tor zum Norden: Schloss in Erpeldingen; Ettelbrück

Gateway to the North: Erpeldange Castle; Ettelbruck

musel

les grands vins d'un petit pays

kleines land der großen weine

small country of big wines

Si le Luxembourg est considéré comme un petit pays produisant de grands vins, il le doit d'abord aux Romains. En effet, ce sont eux qui ont apporté les vignes sur les rives ensoleillées de la Moselle, où on cultive aujourd'hui des cépages racés et distingués: le riesling, l'auxerrois, l'elbling, le rivaner, le pinot, sans oublier le vin mousseux appelé Crémant.

La Moselle, qui prend sa source dans les Vosges françaises, dessine la frontière entre le Luxembourg et

Dass Luxemburg als kleines Land der großen Weine gilt, hat man den Römern zu verdanken. Sie brachten die Reben mit an das sonnenverwöhnte luxemburgische Moselufer, wo heutzutage rassige, duftige und süffige Tropfen gedeihen: Riesling, Auxerrois, Elbling, Rivaner, Pinot, und nicht zu vergessen den Crémant-Schaumwein.

Die Mosel, die in den französischen Vogesen entspringt, ist auf 36 Kilometern Grenzfluss zwischen Luxemburg und Deutschland. Und das ist

Luxembourg owes its reputation as a small country of big wines to the Romans, who introduced the vines to the sun-blessed Luxembourg bank of the Moselle, which these days is home to prospering wines that are racy, aromatic and tasty all at once: Riesling, Auxerrois, Elbling, Rivaner, Pinot and, of course, the Crémant sparkling wine.

The Moselle, which has its source in the French Vosges, forms the border between Luxembourg and Germany over 36 kilometres. This is also the length of the parallel-running "Wäistrooss", the wine road along which wine cellars beckon at every turn and many wine and grape festivals take place. One of the most well-known wine and folklore spectacles is held each year in September in Grevenmacher, with the crowning of the wine queen one of the high-

L'histoire de l'Union européenne: Schengen et ses attractions, le Markusberg, le château et le monument commémorant la signature des accords de Schengen

EU-Geschichte: Sehenswürdigkeiten in Schengen sind der Markusberg, das Schloss sowie das Denkmal, das an die Schengener Abkommen erinnert

EU History: Sights in Schengen include the Markusberg, Schengen castle and the monument honouring the Treaty of Schengen

l'Allemagne sur 36 kilomètres. Voilà aussi la longueur de la "Wäistrooss", la route du vin, parallèle au fleuve, qui invite à des dégustations dans des caves viticoles ou bien à l'occasion de fêtes du vin et du raisin. L'une des plus célèbres manifestations viticoles et folkloriques a lieu chaque année au mois de septembre à Grevenmacher, avec en point

auch die Länge der parallel verlaufenden "Wäistrooss", der Weinstraße, die allenthalben zum Verkosten in Winzerkellern, zu Wein- und Traubenfesten einlädt. Eines der bekanntesten Wein- und Folklorespektakel findet jedes Jahr im September in Grevenmacher statt, wobei die Wahl der Weinkönigin einer der Höhepunkte ist. Nicht weniger pittoresk

d'orgue l'élection de la reine du vin. Non moins pittoresque, la fête bachique de Schwebsange offre le spectacle d'une fontaine de village qui fait jaillir du vin au lieu de l'eau. La tradition ancestrale de la culture du vin est illustrée au Musée du vin à Ehnen ainsi qu'au "Possenhaus" à Bech-Kleinmacher, qui met en scène de paisibles maisons de vignerons somptueusement restaurées.

Les amis des espèces végétales et animales rares ont rendez-vous autour des étangs de Remerschen,

Au cœur des vignobles: le musée en plein air de Schwebsange; les vendanges automnales

Von Weinbergen eingebettet: Freilichtmuseum in Schwebsingen; Lese im Herbst

Nestled among vineyards: Outdoor museum in Schwebsange; autumn grape harvest

ist das bacchantische Fest in Schwebsingen, wo aus dem Dorfbrunnen Wein anstatt Wasser fließt. Die jahrhundertealte Tradition des Weinbaus schildert das Weinmuseum in Ehnen sowie das "Possenhaus" in Bech-Kleinmacher, welches in heimeligen, prachtvoll restaurierten Winzerhäusern untergebracht ist.

Freunde von seltener Flora und Fauna werden rund um die Baggerweiher bei Remerschen fündig. Das Naturschutzgebiet ist ein Refugium für Zugvögel, die in diesem aquatischen Reich Rast machen. Ausgerechnet ein Winzerdorf, das schon von dem Vielreisenden Victor Hugo besucht und geschätzt wurde, hat dazu beigetragen, dass das Reisen innerhalb der Europäischen Union einfacher geworden ist. In Schengen, am Fuße der Weinlage "Markusberg", wurden in den Jahren 1985 und 1990

lights. The bacchanalian festival in Schwebsange is just as picturesque, with wine – instead of water – flowing out of the village fountain. The centuries-old tradition of wine growing is recreated in the wine museum in Ehnen as well as the "Possenhaus" in Bech-Kleinmacher, which is housed in cosy, marvellously restored vineyard homes.

Friends of rare flora and fauna will find themselves in their element around the artificial ponds near Remerschen. This nature reserve is a refuge for migratory birds, stopping off for an aquatic rest. A wine-growing village, of all places, visited and appreciated by seasoned traveller Victor Hugo, has contributed to facilitating travel within the European Union. It was in Schengen, on the foot of the "Markusberg" vineyard, that the agreements foreseeing

54

dont la réserve naturelle sert de refuge à des oiseaux migrateurs, qui viennent se reposer dans cet environnement aquatique. C'est d'ailleurs un village de vignerons, jadis visité et apprécié par ce grand voyageur qu'était Victor Hugo, qui a contribué à faciliter les voyages au sein de l'Union européenne. Situé au pied du coteau Markusberg, Schengen fut en effet le théâtre de la signature des accords en vue de l'abolition progressive des contrôles aux frontières entre les pays de l'Union, en 1985 et en 1990.

L'arrière-pays de la Moselle est tout aussi riche en localités attrayantes. Ainsi, le domaine thermal de Mondorf-les-Bains, dont le parc a accueilli des personnalités comme Arthur Rubinstein, Maurice Ravel et Jean Monet, est un cadre idéal pour la détente et la remise en forme.

die Verträge über den schrittweisen Abbau der Grenzkontrollen in den EU-Ländern unterschrieben.

Das Hinterland der Mosel ist nicht weniger reich an besuchenswerten Orten. In der Thermalanlage von Bad-Mondorf, in deren Park schon Arthur Rubinstein, Maurice Ravel und Jean Monnet promenierten, ist Wohlbefinden und Fitness angesagt.

the gradual dismantling of border controls throughout the EU were signed in 1985 and 1990.

The hinterland of the Moselle is home to several other places worthy of a visit. The thermal complex of Mondorf-les-Bains and its parks, through which Arthur Rubinstein, Maurice Ravel and Jean Monnet have strolled, place well-being and fitness on the agenda.

L'eau et le vin: les étangs et le Felsberg à Wintrange; la fontaine à vin de Schwebsange

Wasser und Wein: Baggerweiher und Felsberg in Wintringen; Weinbrunnen in Schwebsingen

Water and wine: Artificial pond and "Felsberg" in Wintrange; wine fountain in Schwebsange

Le long du fleuve: Wellenstein; le musée du "Possenhaus"; des
bateaux de plaisance à Remich; le village vigneron d'Ehnen

Entlang des Flusses: Wellenstein; Museum im Possenhaus;
Ausflugsschiffe in Remich; Winzerort Ehnen

Along the river: Wellenstein; "Possenhaus" museum; excursion
boats in Remich; wine-producing village of Ehnen

Traditions et remise en forme: *le Musée du vin à Ehnen; la fête du raisin et du vin à Grevenmacher; le village vigneron de Machtum; le domaine thermal de Mondorf-les-Bains*

Tradition und Wellness: *Weinmuseum in Ehnen; Trauben- und Weinfest in Grevenmacher; Winzerdorf Machtum; Thermalbad in Bad-Mondorf*

Tradition and wellness: *Wine museum in Ehnen; grape and wine festival in Grevenmacher; wine-growing hamlet of Machtum; thermal spa in Mondorf-les-Bains*

minett

une région en pleine mutation

eine region im wandel

a region undergoing change

Les hauts fourneaux, dont la fumée symbolisait l'industrie sidérurgique, ont été soit démolis, soit classés au patrimoine. Même si le sud du Luxembourg continue à produire de l'acier et si ses usines font partie du groupe mondial Arcelor-Mittal, toute la région subit une importante mutation. Sur les friches industrielles, de nouveaux quartiers urbains voient le jour. C'est notamment le cas à Esch-sur-Alzette, la deuxième ville du pays. Les sites des usines désaffectées de cet ancien bastion de la

Die Hochöfen, deren Rauch einst die Eisenindustrie symbolisierten, wurden abgerissen oder stehen unter Denkmalschutz. Auch wenn in Luxemburgs Süden noch immer Stahl produziert wird und die dortigen Fabriken Teil des Weltkonzerns Arcelor-Mittal sind, so unterliegt die gesamte Region einem großen Wandel. Auf Industriebrachen entstehen neue Stadtviertel, so etwa in Esch-an-der-Alzette, der zweitgrößten Stadt des Landes. In der einstigen Hochburg der Eisenindustrie entstehen auf still-

The blast furnaces, of which the smoke was once symbolic of the steel industry, have been pulled down or else placed under a preservation order. While steel is still being produced in Luxembourg's south and its factories are part of world steel giant Arcelor-Mittal, the entire region is nevertheless undergoing huge change. New town quarters are emerging on industrial wasteland, such as in Esch-sur-Alzette, the country's second largest town. The former stronghold of the steel industry is now seeing modern cultural institutions, company headquarters, educational facilities and residential quarters being established on disused factory sites.

Contrasting with these futuristic structures are the ornate façades of the Esch art nouveau houses, to which the Minette metropolis owes

Industrie sidérurgique: la production de poutres en acier dans une usine du groupe Arcelor-Mittal

Eisenindustrie: Stahlträgerproduktion in einem Werk von Arcelor-Mittal

Iron industry: Steel bream production at an Arcelor-Mittal plant

sidérurgie voient naître des institutions culturelles, des sièges de sociétés, des campus universitaires ainsi que des quartiers résidentiels. En contraste avec ces bâtiments futuristes, Esch-sur-Alzette conserve ses maisons art nouveau avec leurs façades décorées, auxquelles la métropole du Bassin minier doit sont surnom de "ville aux mille masques de pierre". Pour les amateurs de lèche-vitrine, Esch-sur-Alzette affiche la plus longue rue commerçante du Luxembourg.

C'est dans la région des terres rouges, qui doit son nom à la couleur du minerai de fer, que l'Etat agricole qu'était autrefois le Luxembourg

gelegten Fabrikgeländen moderne Kultureinrichtungen, Firmensitze, Hochschulen und Wohnviertel.

Kontrastierend mit diesen futuristischen Bauten sind die verschnörkelten Fassaden der Escher Jugendstil-Häuser, denen die Minette-Metropole ihren Beinamen "Stadt der tausend Steinmasken" verdankt. Shopping-Freunde schätzen es, dass in Esch die längste Einkaufsstraße Luxemburgs zum Schaufensterbummel einlädt.

In der Region der Roten Erde, benannt nach dem rötlichen erzhaltigen Minettegestein, wandelte sich Luxemburg von einem Bauernstaat zu einer wohlhabenden Industrie- und Dienstleistungsnation. Erinnerungen an diese Epoche, die Mitte des 19. Jahrhunderts begann und vor allem italienische Einwanderer anzog, findet man im Gruben- und Bergbaumuseum in Rümelingen. In

its epithet of "town of the thousand stone masks". Shopping enthusiasts revel in the fact that in Esch the country's longest pedestrian zone calls for many a window-shopping excursion.

It was in the land of the Red Earth, so called after the reddish ore-bearing Minette rock, that Luxembourg transformed itself from an agricultural state into a wealthy industrial and service nation. Memories of this era, which began during the mid-19th century and attracted in parti-

····

Des monuments classés: les hauts fourneaux désaffectés à Esch-Belval

Unter Denkmalschutz: stillgelegte Hochöfen in Esch-Belval

Under preservation order: Disused blast furnaces in Esch-Belval

•••• s'est transformé en nation dont la prospérité repose sur l'industrie et les services. Cette période, qui a débuté au milieu du 19e siècle et qui a vu arriver de nombreux immigrés, en majorité italiens, est évoquée au Musée des mines de fer à Rumelange. Au Fond-de-Gras, près de Rodange, où des locomotives anciennes ainsi qu'un petit bistrot d'ouvriers attirent les visiteurs, on se croirait revenu à l'époque des mineurs.

L'histoire du Bassin minier est toutefois bien plus ancienne que l'époque des galeries et des haldes, comme le

die Zeiten der Grubenarbeiter zurückversetzt fühlt man sich auch im Fond-de-Gras bei Rodingen, wo Oldtimer-Lokomotiven sowie eine alte Bergmannskneipe die Ausflügler anlocken.

Dass die Geschichte des "Minett" aber weiter zurückreicht als in die Tage der Stollen und Schlackenhalden beweist der "Tëtelbierg", wo Reste

cular Italian immigrants, can be relived in the mining museum in Rumelange. In Fond-de-Gras near Rodange, vintage locomotives and an old mining pub also transport visitors back to the times of the miners.

The history of the "Minett" goes back further than the days of the mining galleries and slag heaps, as can be seen on the "Tëtelbierg",

Des contrastes musicaux: la "Rockhal" à Esch-sur-Alzette; des musiciens de rue

Musik-Kontraste: "Rockhal" in Esch-Belval; Straßenmusiker

Musical contrasts: "Rockhal" in Esch-Belval; street musicians

démontre le Tëtelbierg, où les vesti-ges d'une importante colonie gallo-romaine ont été mis au jour. Au Mont Saint-Jean, près de Dudelange, c'est le souvenir du Moyen Age qui est entretenu avec les ruines d'un château fort.

Autour des anciens centres indus-triels que sont Dudelange, Differ-dange et Pétange, la nature a repris ses droits dans les canyons crevas-sés des mines à ciel ouvert. On y voit pousser de rares espèces d'orchidées au-dessus de galeries effondrées et des anciens puits d'extraction entourés de papillons.

einer bedeutenden gallo-römischen Siedlung ausgegraben wurden. An das Mittelalter erinnern die verwit-terten Burgruinen auf dem Johannis-berg bei Düdelingen.

Rund um einstige Industriezentren wie Düdelingen, Differdingen oder Petingen hat die Natur in den zer-klüfteten Canyons des Tagebaus wieder ihr Heimrecht zurückerobert. Seltene Orchideenarten wachsen über eingestürzten Stollen und Schmetterlinge umschwirren die Überbleibsel der Förderanlagen.

where traces of an important Gallo-Roman settlement have been exca-vated. The Middle Ages are recalled by the weathered castle ruins of Johannisberg near Dudelange.

Around the former industrial centres of Dudelange, Differdange and Pétange, nature has once again reconquered its home in the craggy canyons of the opencast mines. Rare species of orchids grow over col-lapsed galleries and butterflies flut-ter around the vestiges of the con-veyor systems.

Une rue commerciale aux façades vénérables: Esch-sur-Alzette se distingue par sa généreuse zone piétonne et ses magnifiques façades art déco

Shopping vor ehrwürdigen Fassaden: Esch-Alzette kokettiert mit seiner großzügigen Fußgängerzone und seinen herrlichen Art-Deco-Fassaden

Shopping before noble façades: Esch-sur-Alzette boasts a generous pedestrian zone and magnificent art deco façades

Au pays des terres rouges: *le Musée des mines de fer à Rumelange*

Land der Roten Erde: *Bergbaumuseum in Rümelingen*

Land of the red earth: *Mining museum in Rumelange*

Des villes pleines de tradition: *le moulin Bestgen à Schifflange; l'horloge fleurie et le château de Differdange*

Traditionsreiche Städte: *Bestgen-Mühle in Schifflingen; Blumen-Uhr und Schloss in Differdingen*

Towns steeped in history: *Bestgen mill in Schifflange; flower clock and castle in Differdange*

Souvenirs d'une époque dorée: *une locomotive à vapeur, une ancienne épicerie et le Parc industriel et ferroviaire au Fond-de-Gras; le casino de Lasauvage*

Erinnerungen an goldene Zeiten: *Dampflokomotive, alter Krämerladen und Industriemuseum im Fond-de-Gras; Casino in Lasauvage*

Memories of golden eras: *Steam locomotive, old grocery store and industrial museum in Fond-de-Gras; Casino in Lasauvage*

Une histoire mouvementée: *les hôtels de ville de Differdange et de Pétange; les ruines d'un château fort au Mont Saint-Jean, près de Dudelange*

Bewegte Geschichte: *die Rathäuser von Düdelingen und Petingen; Burgruinen auf dem Düdelinger Johannisberg*

Turbulent history: *Town halls of Dudelange and Pétange; castle ruins on Dudelange's Johannisberg*